Lina, la fée du lundi

Pour Tabitha Runchman

Un grand merci à

Narinder Dhami

Catalogage avant publication
de Bibliothèque et Archives Canada

Meadows, Daisy
Lina, la fée du lundi / Daisy Meadows ;
texte français de Dominique Chichera-Mangione.

(L'arc-en-ciel magique. Les fées des jours de la semaine ; 1)
Traduction de : Megan, the Monday fairy. Pour les 6-9 ans.

ISBN 978-1-4431-0909-3

I. Chichera, Dominique II. Titre. III. Collection : Meadows,
Daisy. Arc-en-ciel magique. Les fées des jours de la semaine; 1.

PZ23.M454Li 2011 j823'.92 C2010-906591-3

Édition publiée par les Éditions Scholastic,
604, rue King Ouest, Toronto (Ontario) M5V 1E1

5 4 3 2 1 Imprimé au Canada 116 11 12 13 14 15

Lina, la fée du lundi

Daisy Meadows

Texte français de Dominique Chichera-Mangione

Éditions
SCHOLASTIC

Le palais
du Royaume
des fées
La Tour
du temps
Le lac des
quatre vents
La ville
L'aquarium
de Villerville
Le grand
magasin
de jouets
La fontaine
Le studio
de danse
La

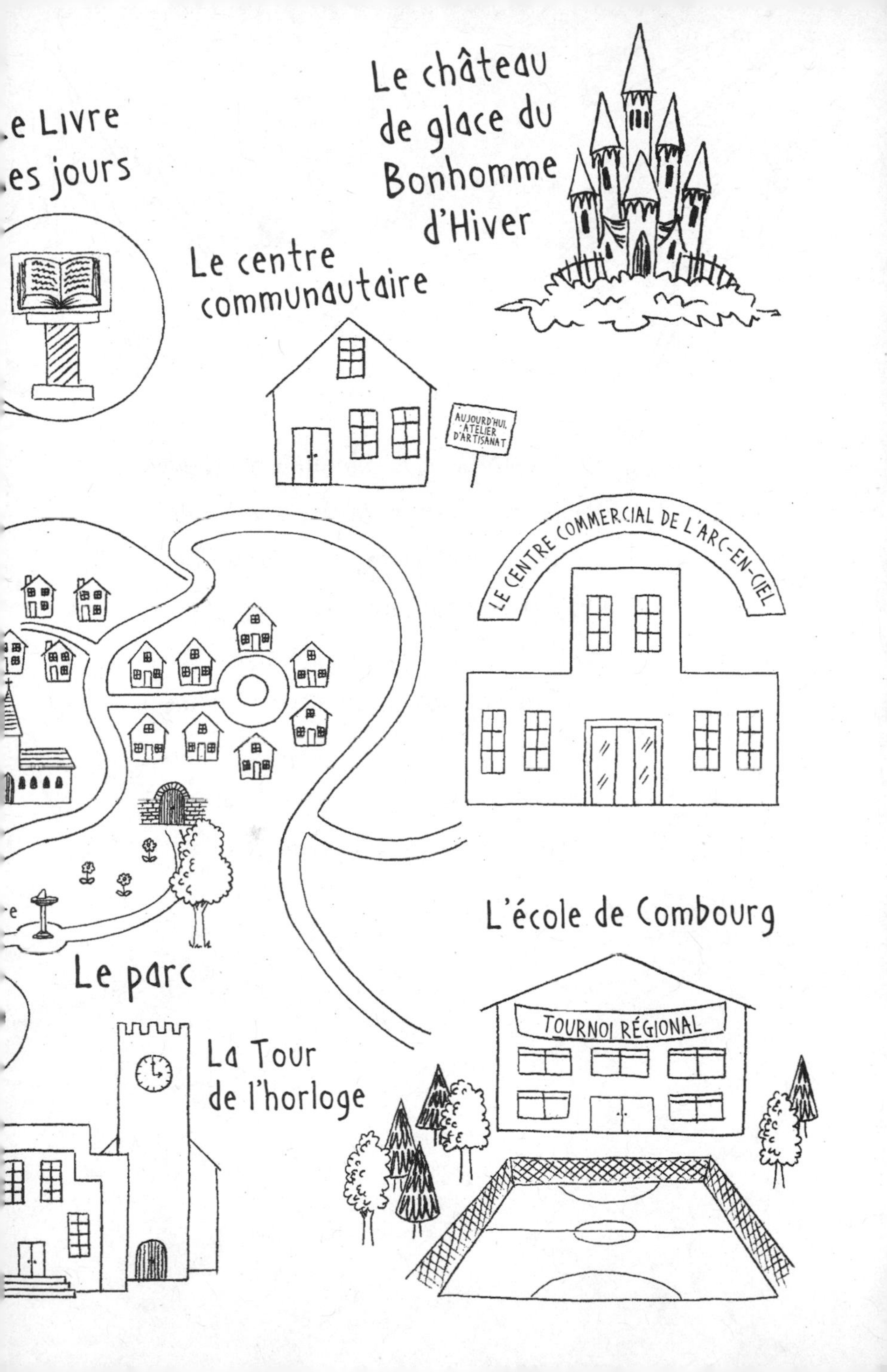

e Livre
es jours
Le château de glace du Bonhomme d'Hiver
Le centre communautaire
AUJOURD'HUI, ATELIER D'ARTISANAT
LE CENTRE COMMERCIAL DE L'ARC-EN-CIEL
L'école de Combourg
TOURNOI RÉGIONAL
Le parc
La Tour de l'horloge

Le vent souffle et il gèle à pierre fendre!
À la Tour du temps, je dois me rendre.
Les gnomes m'aideront, comme toujours,
À voler les drapeaux des beaux jours.

Pour les humains comme pour les fées,
Les jours pleins d'éclats sont comptés.
La rafale m'emmènera où je l'entends
Pour réaliser mon plan ignoble dès maintenant!

Table des matières

En route pour le Royaume des fées!

— Je suis contente de passer les vacances avec toi, dit Karine Taillon à son amie, Rachel Vallée, alors qu'elles sortent de Fantaisie Mode, le magasin d'accessoires de mode situé dans la rue principale de Combourg. Et j'espère que ces boucles d'oreilles iront bien avec ma nouvelle coupe de cheveux!

— Je suis sûre qu'elles iront très bien, répond Rachel d'un ton joyeux. Elles sont très jolies!

— Merci, réplique Karine. Je me demande comment vont les fées, ajoute-t-elle en

baissant la voix.

Rachel et Karine partagent un secret magique : lorsqu'elles se sont rencontrées pour la première fois lors d'un voyage très spécial à l'Île-aux-Alizés, elles sont aussi devenues amies avec les fées!

— J'espère que le Bonhomme d'Hiver et ses gnomes ne font pas des leurs, dit Rachel.

Le méchant Bonhomme d'Hiver et ses redoutables gnomes causent souvent des ennuis aux fées. Mais les fillettes ont aidé à plusieurs reprises leurs amies minuscules à déjouer les plans du Bonhomme d'Hiver.

— Regarde, Rachel! s'écrie Karine en regardant une vitrine. Ce magasin n'était

pas ouvert la dernière fois que je suis venue chez toi. N'est-ce pas magnifique?

Le magasin s'appelle « Studio de danse ». Des costumes de danse et des souliers y sont présentées. Il y a des tutus blancs dans la vitrine, des chaussons de danse en satin avec des rubans roses et des souliers de claquettes garnis de brillants.

— J'aimerais savoir danser la claquette, dit Rachel.

Juste à ce moment, la porte s'ouvre et une dame sort, suivie d'une fillette aux longs cheveux bruns attachés en queue de cheval. Son visage s'éclaire lorsqu'elle aperçoit Rachel.

— Bonjour, Rachel!

— Bonjour, Céline, répond Rachel avec un sourire. Karine, je te présente Céline, une bonne amie d'école. Et voici sa mère, Mme Lemay.

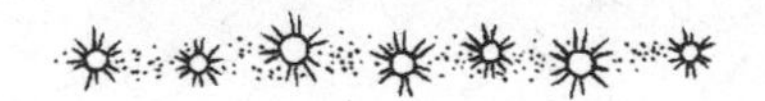

Céline adresse un sourire à Karine.

— Je suis contente de te rencontrer. Rachel parle tout le temps de toi!

Karine pouffe de rire.

— Suis-tu des cours de danse? demande-t-elle en jetant un coup d'œil au sac bleu de Céline.

— Oui, répond Céline. J'ai un cours de claquettes cet après-midi à la mairie. Maman vient de m'acheter de nouveaux souliers de claquettes; les anciens étaient usés.

— C'est parce qu'elle s'entraîne beaucoup! poursuit Mme Lemay en souriant. Nous ferions mieux de nous dépêcher, Céline, ajoute-t-elle en regardant sa montre.

— À plus tard! lance Céline.

— Tu pourrais t'inscrire au même cours que Céline, suggère Karine à Rachel en continuant leur chemin.

— Bonne idée! dit Rachel en regardant autour d'elle. Pouvons-nous traverser le parc pour rentrer à la maison?

— Bien sûr! répond Karine.

Les fillettes passent la grille en fer forgé du

parc et traversent la pelouse. Le parc est rempli de fleurs de toutes les couleurs. Au milieu s'élève un grand cadran solaire en laiton qui brille dans la lumière.

— Le soleil brille aujourd'hui, déclare Karine.

Rachel hoche la tête. Puis elle remarque quelque chose qui fait battre son cœur plus

vite. De minuscules étincelles dorées planent et dansent au-dessus du cadran solaire!

— Karine, regarde le cadran solaire! souffle Rachel. Je crois que c'est la magie des fées.

Les yeux de Karine s'écarquillent. Rachel a raison! Et maintenant, les étincelles dorées se déplacent! Sous les yeux des deux amies, la poudre magique tourbillonne jusqu'à une minuscule porte située à la base du cadran solaire. Rachel fronce les sourcils.

— J'ai vu ce cadran solaire des centaines de fois, mais je n'avais encore jamais remarqué cette porte, dit-elle. Soudain, la petite porte s'ouvre

brusquement sur un crapaud qui sort en sautillant. Il porte une élégante veste rouge et une montre à gousset en or.

— Bonjour Rachel! Bonjour Karine! coasse-t-il.

Les fillettes se précipitent vers lui.

— Vous devez venir du Royaume des fées! lance Rachel.

Le crapaud hoche la tête.

— Je suis Francis, le gardien royal du temps, explique-t-il. Je suis un ami de Bertrand.

Les fillettes ont déjà rencontré Bertrand, le valet, lors d'une de leurs aventures magiques.

— Est-ce que tout le monde va bien? demande Karine.

Francis secoue la tête d'un air triste.

— Le roi et la reine du Royaume des fées ont besoin de votre aide! coasse-t-il. Voulez-vous venir avec moi?

— Oui, bien sûr! s'écrient en chœur Rachel et Karine.

— Merci beaucoup, chères amies, dit

Francis en souriant.

Il fouille dans sa poche et en sort une pincée de poudre magique qu'il lance dans les airs. Aussitôt, un arc-en-ciel aux couleurs vibrantes apparaît.

— Suivez-moi, dit Francis en sautant l'arc-en-ciel.

Rachel et Karine le suivent sur l'arc-en-ciel avec précaution.

— Et nous voilà partis! lance-t-il en souriant. Dans une pluie d'étincelles, l'arc-en-ciel les transporte vers le Royaume des fées.

En un clin d'œil, Karine et Rachel se retrouvent au Royaume des fées! Transformées en fées, elles ont maintenant des ailes scintillantes dans le dos. Elles constatent qu'elles se trouvent devant le palais argenté avec ses quatre tourelles roses.

Rachel et Karine voient le roi Oberon et la reine Titania qui sont entourés d'un groupe de fées. Elles remarquent que tout le monde a l'air triste. Mais pourquoi? Francis bondit hors de l'arc-en-ciel et fait une révérence au roi et à la reine.

— Vos Majestés, déclare-t-il au moment où les fillettes descendent de l'arc-en-ciel. Voici vos chères amies, Karine et Rachel!

La reine Titania s'élance vers elles en leur adressant un sourire de bienvenue.

— C'est très gentil à vous d'être venues, dit-elle. Nous avons vraiment besoin de votre aide!

— Que se passe-t-il? demande Rachel.

— S'agirait-il du Bonhomme d'Hiver? ajoute Karine.

La reine Titania hoche la tête.

— Le Bonhomme d'Hiver s'est emparé des drapeaux des jours de la semaine! soupire-t-elle. Les fées des jours de la semaine n'ont plus le pouvoir magique de rendre chaque jour joyeux au Royaume des fées et dans le monde des humains.

Rachel et Karine lancent

un regard vers les fées. Elles semblent malheureuses et leurs ailes pendent mollement.

— Je vous présente les fées des jours de la semaine, dit le roi Oberon. Lina, la fée du lundi; Mia, la fée du mardi; Maude, la fée du mercredi; Julia, la fée du jeudi; Valérie, la fée du vendredi; Suzie, la fée du samedi et Daphné, la fée du dimanche.

Les fées s'efforcent de sourire à Rachel et Karine, mais elles semblent encore tristes. Les fillettes sont désolées pour elles.

— À quoi servent les drapeaux des jours de la semaine? demande Karine.

— Accompagnez-nous au bassin doré, réplique la reine Titania, et nous vous montrerons.

Guidés par la reine, ils traversent les jardins du palais en direction du bassin magique. Ils se regroupent tous autour du bassin. Puis la reine agite sa baguette au-dessus de la surface de l'eau. Aussitôt, l'eau se met à scintiller sous l'effet de la poudre magique.

— Aujourd'hui, Francis, le gardien royal du temps, est allé consulter le Livre des jours pour vérifier quel jour on était. Il fait cela

chaque matin, explique la reine Titania en désignant le bassin. Le Livre des jours est conservé dans la Tour du temps qui est située de l'autre côté des jardins du palais.

Rachel et Karine ouvrent de grands yeux en voyant apparaîtrc l'image d'une tour étincelante en marbre blanc à la surface du bassin. Au sommet de la tour s'élève un mât et il y a une magnifique cour avec une pelouse et de nombreux orangers et citronniers d'un côté. Au centre de la cour se trouve une horloge géante, faite de carreaux

éblouissants, blancs et dorés. Les fillettes voient Francis bondir à l'intérieur de la Tour de l'horloge et se diriger jusqu'à un grand livre en cuir posé sur un lutrin aux couleurs de l'arc-en-ciel.

— C'est le Livre des jours, explique la reine. Il garde le compte des jours de la semaine au cas où Francis oublierait de le faire.

Sous le regard de Rachel et Karine, Francis se détourne du livre et se dirige vers une armoire dorée située sur un côté de la

salle. Il prend un morceau de tissu rouge brillant et le déplie.

— C'est un drapeau, dit Rachel

— Il est magnifique, ajoute Karine.

C'est un grand drapeau rectangulaire, orné d'un grand soleil et de ses rayons. Le soleil est de la même couleur que le reste du drapeau, mais il est fait en tissu brillant. Il scintille dans la lumière du soleil qui traverse les fenêtres de la Tour du temps.

— C'est mon drapeau du lundi, dit une voix triste. Rachel et Karine se tournent vers Lina, la fée du lundi. Elle porte une robe indigo avec une large ceinture rouge. Elle a de longs cheveux noirs brillants retenus par un serre-tête rouge. Elle donne l'impression d'aimer rire et de s'amuser, mais son visage est triste.

Dans le bassin, on voit Francis en train d'attacher le drapeau du lundi au mât qui se trouve au sommet de la Tour du temps.

— Voyez-vous Lina qui attend dans la cour? demande la reine Titania.

Lina a pris place au milieu de l'horloge carrelée, à l'endroit où les deux aiguilles se rencontrent. Elle tient sa baguette dans une main et regarde le drapeau.

— Quand les rayons du soleil se refléteront sur les parties brillantes du drapeau, des étincelles magiques glisseront jusqu'à l'endroit où se tient Lina, explique la reine Titania. C'est ainsi que les fées des jours de la semaine rechargent leur baguette et s'assurent qu'elles ont assez de magie pour la journée.

— Et il faut beaucoup de magie pour s'assurer que les humains pourront s'amuser pendant une journée tout entière! ajoute Lina.

Karine et Rachel regardent Francis qui hisse le drapeau jusqu'au sommet du mât. En bas, dans la cour intérieure, Lina lève sa baguette. Mais, juste au moment où les rayons du soleil sont sur le point de

toucher le drapeau, le vent se met à souffler violemment. Rachel et Karine retiennent

leur souffle. Profitant de la rafale, le Bonhomme d'Hiver glisse à toute vitesse vers le mât. Il s'empare du drapeau du lundi qui flotte sur le mât et s'enfuit à toute vitesse en ricanant!

Une énigme mystérieuse

— Oh, non! crie Rachel.

— Pauvre Lina, dit Karine en prenant la petite fée par les épaules.

— Ce n'est pas tout, soupire Lina en pointant le doigt vers le bassin. Regardez...

Pendant que Francis descend rapidement du mât, quelques-uns des gnomes du Bonhomme d'Hiver apparaissent et se ruent

à l'intérieur de la tour. Ils ouvrent aussitôt les portes de l'armoire dorée où sont entreposés les drapeaux des jours de la semaine.

— Prenons tous les drapeaux! crie l'un d'entre eux.

— Oui, nous pourrons alors nous amuser tout le temps, lance un autre d'un ton joyeux. Et personne d'autre ne le pourra!

Les gnomes commencent à retirer les drapeaux de l'armoire dorée.

— Arrêtez! crie Francis en se précipitant à leur suite.

Il tente de reprendre un drapeau des mains du gnome le plus proche.

— Rends-le-moi!

— Certainement pas! crie le gnome.

Les gnomes se ruent vers la porte en poussant des hurlements et en agitant les drapeaux. Francis se fait pousser

brusquement alors qu'ils se sauvent en courant. Puis l'image dans le bassin se dissipe.

— Pauvre Francis! s'écrie Rachel. Les gnomes ont volé tous les drapeaux!

La reine Titania acquiesce d'un signe de tête et ajoute en souriant :

— Mais le Bonhomme d'Hiver ne les a plus. Regardez ce qui s'est passé ensuite...

Elle agite de nouveau sa baguette au-dessus du bassin.

Rachel et Karine voient une nouvelle image apparaître. Elle montre le château de glace du Bonhomme d'Hiver. Trois gnomes font des glissades sur les rampes d'escalier gelées en hurlant de plaisir. Quatre gnomes jouent à cache-cache. L'un d'entre eux sort la tête de sa cachette, derrière le trône de glace du Bonhomme d'Hiver. D'autres gnomes jouent au football avec un ballon de glace. Certains sont même en train de patiner sur le sol gelé

de la salle du trône, faisant des sauts et décrivant des arabesques.

— Les gnomes ont l'air de bien s'amuser! lance Karine.

— C'est le pouvoir des drapeaux des jours de la semaine, explique Lina.

Puis, l'image change de nouveau et montre le Bonhomme d'Hiver parcourant d'un pas lourd le couloir qui mène à sa chambre.

— Voulez-vous bien cesser ces jeux et vous remettre au travail? crie-t-il à ses gnomes.

À ces mots, Rachel et Karine écarquillent les yeux. Puis le Bonhomme d'Hiver ouvre la porte de sa chambre, et un seau d'eau chaude se déverse sur lui.

— Au secours! hurle le Bonhomme d'Hiver, furieux. Je suis trempé!

Un instant après, du haut de la porte, le seau lui tombe sur la tête et étouffe ses cris. Rachel et Karine éclatent de rire. Les gnomes qui ont joué ce tour

l'observent dans un coin en gloussant bruyamment.

— Ça suffit! gronde le Bonhomme d'Hiver en retirant le seau de sa tête. J'en ai assez de toutes ces plaisanteries. Il lève sa baguette et prononce cette formule : « Les gnomes n'ont pas le temps de s'amuser! Drapeaux des jours de la semaine, disparaissez! »

Aussitôt, un vent violent tourbillonne à travers le château de glace. À la grande consternation des gnomes, il souffle sur les drapeaux qui s'envolent par la fenêtre. Puis l'image disparaît.

— Donc, où sont les drapeaux à présent? demande Rachel.

— Le sort du Bonhomme d'Hiver les a envoyés dans le monde des humains, où ils sont devenus plus grands, répond la reine Titania. Mais les gnomes ont eu tant de plaisir que certains d'entre eux sont partis à la recherche des drapeaux.

— Voilà pourquoi nous devons retrouver les drapeaux avant qu'ils ne le fassent, ajoute Lina. Nous

aiderez-vous, chères amies?

— Bien sûr, nous allons faire tout notre possible, dit Karine.

— Mais par où commencer? demande Rachel.

Francis fait un pas en avant. Il sort une montre de sa poche et en ouvre le couvercle. Aussitôt, un nuage d'étincelles magiques tourbillonne autour de la montre et le Livre des jours apparaît dans ses mains.

— Je pense qu'il y a un indice dans le Livre des jours, coasse-t-il en montrant une

page à Lina, Rachel et Karine. Regardez, au lieu de faire apparaître le nom du jour, il y a maintenant un poème sur la page du lundi.

Cherchez bien tout partout,

Et les drapeaux seront à vous.

Clap-clap feront les souliers

Et le drapeau du lundi, vous trouverez.

— Si nous arrivons à déchiffrer le poème, nous trouverons le drapeau! s'écrie Rachel, enthousiaste.

— Clap-clap... répète Karine d'un air songeur. Je me demande ce que cela peut bien vouloir dire.

Tout le monde réfléchit en fronçant les sourcils.

— Oh! s'exclame soudain Rachel, les yeux brillants. Je sais!

La découverte du drapeau

Toutes les têtes se tournent vers Rachel.

— Clap-clap! lance Rachel excitée. Karine, à quoi cela te fait-il penser?

Karine semble perplexe.

— Te souviens-tu de ce qui est arrivé ce matin? poursuit Rachel.

Soudain, le visage de Karine s'éclaire et elle s'écrie :

— Tu veux parler de Céline et ses cours de claquettes! Crois-tu que le drapeau du lundi peut se trouver avec les nouveaux souliers de claquettes de Céline?

Rachel hoche la tête et explique rapidement aux fées et à Francis ce que Karine veut dire.

— La leçon de Céline a lieu cet après-midi à la mairie, ajoute-t-elle. Nous ferions mieux d'y aller tout de suite!

— Je vais vous envoyer là-bas en utilisant ma magie, dit la reine Titania en levant sa baguette.

— Je viens avec vous, annonce Lina.

Même si je ne peux pas me servir de mes dons spéciaux de magie, je peux vous aider avec mes dons normaux de fée!

Les deux fillettes ferment les yeux tandis que la reine Titania fait tomber sur elles une pluie de poudre magique dorée.

— Bonne chance! s'écrient les autres fées.

Quelques instants plus tard, Karine et Rachel entendent le bruit de la circulation.

Elles ouvrent les yeux. Elles se trouvent tout près de la mairie de Combourg.

— Où est Lina? demande Rachel.

— Je suis ici! souffle Lina en quittant sa cachette derrière une boîte à lettres.

Elle vole doucement au-dessus de l'épaule de Karine et va se cacher dans ses cheveux.

— Céline est là, dit soudain Rachel, en montrant du doigt l'escalier de la mairie.

Céline a l'air triste. Elle est assise sur les marches, le menton appuyé dans ses mains.

— Céline! Qu'est-ce qui ne va pas?

— Oh, Rachel! Maman m'a déposée un peu plus tôt pour mon cours, alors j'ai posé mon sac pendant que je répétais quelques pas. Mais, lorsque je me suis retournée, mon

sac avait disparu!

— Tes nouveaux souliers étaient-ils dans ton sac? demande Karine.

Céline acquiesce d'un signe de tête tout en se mordant les lèvres.

— Oh, j'aimerais tellement aider Céline à s'amuser, murmure Lina dans l'oreille de Karine, mais je ne peux rien faire sans mes dons spéciaux de fée du lundi.

— Voici ma professeure de danse, Mme Henri, dit Céline en pleurs. Je ne veux pas manquer mon cours.

— Céline, que se passe-t-il? demande Mme Henri lorsqu'elle voit Céline pleurer.

Céline lui explique la situation.

— Je peux te prêter une paire de souliers de claquettes pour aujourd'hui. Ainsi tu ne manqueras pas le cours, dit Mme Henri. Après, je t'aiderai à retrouver ton sac.

— Et Karine et moi, nous le chercherons pendant ton cours de claquettes, ajoute Rachel.

— Merci, dit Céline d'un air soulagé en pénétrant dans la mairie à la suite de Mme Henri.

Puis Rachel se tourne vers Karine et Lina.

— Commençons par chercher par ici, suggère-t-elle.

Mais Karine fronce les sourcils et murmure :

— J'entends un drôle de bruit.

— Moi aussi, réplique Lina, on dirait quelqu'un qui marmonne.

Rachel écoute.

— Cela vient du côté de l'immeuble, s'écrie-t-elle.

Lina et les fillettes se rendent au coin du bâtiment pour y jeter un coup d'œil.

— C'est un gnome, chuchote Karine.

— Et regardez ce qu'il a dans les mains! ajoute Rachel.

Le gnome fouille à l'intérieur d'un sac bleu. Sous les regards de Lina et des deux

fillettes, il se met à tirer sur un morceau de tissu rouge brillant qui se trouve à l'intérieur du sac.

— C'est mon drapeau! s'écrie Lina.

Le gnome est de plus en plus contrarié, car le drapeau ne veut pas sortir du sac. Soudain, il lève les yeux et aperçoit les fillettes et Lina qui l'observent. Il s'empare alors du sac en poussant un cri de rage et s'enfuit en courant.

— Attrapez-le! crie Lina en fendant les airs à sa suite.

Rachel et Karine la suivent à pied. Loin devant, le gnome tourne au coin dc l'immeuble et disparaît de la vue.

— Il est allé derrière la mairie, souffle Karine.

— C'est là que se trouve la Tour de l'horloge, lance Rachel en la désignant du doigt.

Lorsque les fillettes et Lina arrivent à l'angle de l'immeuble, elles ont juste le temps de voir le gnome qui passe en vitesse la grande porte en bois qui se trouve à la base de la Tour du l'horloge. Tandis qu'elles s'élancent à sa suite, le gnome claque sauvagement la porte.

— Il l'a verrouillée de l'intérieur, déclare Karine en tirant sur la poignée.

Rachel met son oreille contre la porte.

— Je crois qu'il monte les escaliers.

— Volons jusqu'au sommet pour voir ce qu'il fait, dit Lina en levant sa baguette.

Dans une pluie de poudre magique brillante, Lina change les fillettes en fées. Puis, elles volent jusqu'au sommet de la Tour de l'horloge.

Arrivées sur place, les trois amies entendent le gnome qui marmonne d'un ton joyeux derrière le grand cadran blanc de l'horloge.

— Regardez, lance Lina en désignant l'horloge.

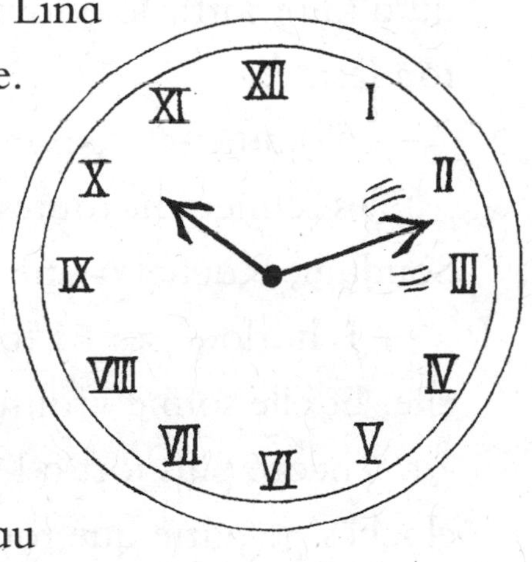

L'aiguille marquant les minutes tressaute sur place.

— Le gnome s'amuse grâce à la magie de mon drapeau du lundi!

Les fillettes entendent rire le gnome qui joue avec les engrenages de l'horloge. Rachel, Karine et Lina cherchent une façon d'entrer dans la Tour de l'horloge. Mais elles n'en trouvent aucune!

— C'est inutile. Il n'y a pas moyen d'y entrer, soupire Karine.

— Alors, il ne nous reste plus qu'à faire sortir le gnome! dit Rachel d'un ton ferme.

— Comment? demande Lina.

Elles se mettent toutes les trois à réfléchir. Soudain, Rachel a une idée.

— L'horloge sonne toutes les heures, dit-elle. Et elle sonne vraiment fort. Le son doit être encore plus fort à l'intérieur, près des cloches. Je parie que tout ce bruit fera sortir le gnome!

— Il est seulement dix heures et quart, fait remarquer Karine.

— Je peux me servir de ma magie pour faire sonner l'horloge, s'empresse de dire Lina.

Un nuage de poudre magique s'élève jusqu'à l'horloge. Aussitôt, les aiguilles se mettent à tourner à toute vitesse jusqu'à ce qu'elles atteignent la position de onze heures.

Dong!

Les cloches se mettent à tinter. Elles carillonnent tellement fort que Lina, Rachel et Karine volent très vite vers la sortie pour échapper au bruit.

Dong!

— Le gnome ne pourra pas supporter ce bruit! s'exclame Karine en riant.

Ensuite, Lina agite sa baguette et redonne aux fillettes leur taille normale.

Dong!

La porte de la Tour de l'horloge s'ouvre brusquement. Le gnome se précipite à l'extérieur en poussant des hurlements. Il essaie de porter le sac de Céline et de se couvrir les oreilles en même temps, mais le sac glisse et, quand il tombe, Karine s'avance et le récupère.

— Merci, dit-elle poliment.

Le gnome ne semble pas y prendre garde.

— Ce n'est vraiment pas drôle! marmonne-t-il.

Puis il s'éloigne rapidement en se bouchant les oreilles avec les mains.

— Regardez! dit Lina en voletant au-dessus du sac d'un air radieux.

Elle pointe sa baguette sur une des poches de côté. Un morceau de tissu rouge brillant dépasse.

— Mes amies, voici mon drapeau du lundi!

Rachel et Karine se regardent en souriant.

— Allons voir Céline pour lui redonner son sac, dit Rachel en coinçant le drapeau sous son bras.

Karine et Lina s'empressent d'acquiescer en hochant la tête.

— Et ensuite, je rapporterai le drapeau du lundi au Royaume des fées, déclare Lina.

Elles pénètrent ensemble dans la mairie avec Lina perchée sur l'épaule de Karine.

Les fillettes suivent le son de la musique qui provient d'une salle située au sous-sol du bâtiment. Elles regardent par la vitre de la porte.

Céline est au milieu d'un groupe de fillettes qui traversent la salle en dansant la claquette. Mme Henri les observe en secouant la tête et en fronçant les sourcils. Céline et ses compagnes ne semblent pas ravies non plus.

— Nous allons essayer encore une fois, lance Mme Henri en arrêtant la musique. On dirait que vous avez toutes oublié vos pas.

— Je n'y arrive pas, aujourd'hui, soupire une fillette.

— Moi non plus, ajoute une autre.

— Personne ne s'amuse, murmure Lina à Karine. Et je ne peux rien faire tant que je n'ai pas rechargé ma baguette avec la magie du lundi!

Soudain, Céline remarque Rachel et Karine à la porte. Un grand sourire éclaire son visage lorsqu'elle voit que Karine a son sac. Elle se précipite et ouvre tout grand la porte.

— Merci! Où était-il? demande-t-elle.

— Sur le côté de la mairie, répond Rachel.

— Comment a-t-il pu arriver là? ajoute Céline.

Heureusement, elle n'attend pas la

réponse. Elle est bien trop occupée à ouvrir le sac pour en sortir ses nouveaux souliers de claquettes brillants.

— Ils sont magnifiques! dit Karine.

Celine se dépêche de retirer les souliers empruntés et de mettre les neufs.

— Je vais peut-être réussir mes pas de danse maintenant, déclare Céline en souriant. J'ai beaucoup de difficulté à danser, aujourd'hui!

Elle fait un signe de la main aux fillettes et court rejoindre son groupe.

— Merci beaucoup!

— Je dois retourner au Royaume des fées pour recharger ma baguette, déclare Lina d'un air pressé. Voulez-vous venir?

Les fillettes hochent la tête et Lina lève sa

baguette. Dans une pluie de poudre magique, elles sont toutes les trois emmenées vers le Royaume des fées. Le roi Oberon, la reine Titania, Francis et les fées des jours de la semaine les attendent à l'extérieur de la Tour du temps. Ils acclament Lina, Rachel et Karine qui font leur apparition avec le drapeau du lundi.

— Bien joué! déclare le roi Oberon d'un air satisfait. Francis, hissez le drapeau s'il vous plaît!

Francis prend le drapeau des mains de Rachel et se rue à l'intérieur de la Tour du

temps. Pendant ce temps, Lina se précipite vers le cadran en carreaux brillants au milieu de la cour intérieure et se tient à l'endroit où les aiguilles se rejoignent. Elle lève sa baguette haut dans les airs et attend. Rachel

et Karine retiennent leur souffle en voyant Francis hisser le drapeau du lundi au sommet du mât. Lorsqu'il atteint le sommet, des rayons dorés de soleil frappent le drapeau. Rachel et Karine laissent échapper une exclamation lorsqu'un rayon de soleil se reflète dans la cour intérieure vers Lina. La lumière dorée frappe le bout de la baguette de

Lina qui se met aussitôt à étinceler d'un éclat magique rouge. Tout le monde applaudit en poussant des cris de joie.

— Hourra! crie Lina en dansant. Je peux maintenant ramener de la joie dans la journée du lundi!

Rachel et Karine s'empressent de la rejoindre.

— Merci, les filles! lance la reine Titania.

— Au revoir, s'écrient tous les autres.

Lina lève sa baguette et, dans un éclair brillant, elle les ramène dans le couloir, devant la porte où se déroule le cours de Céline. Toutes trois regardent par la vitre et voient une fillette qui bouscule accidentellement Céline

et qui la fait presque tomber. Tout le monde semble triste.

— Il est temps de mettre un peu de joie dans ce lundi! murmure Lina.

Rachel et Karine observent la petite fée qui introduit le bout de sa baguette magique dans la serrure de la porte. Un flot d'étincelles rouges envahit la salle et tourbillonne autour des danseuses, mais celles-ci sont trop préoccupées par leurs pas de danse pour le remarquer.

— Arrêtez, mesdemoiselles! lance soudain Mme Henri qui sourit en arrêtant la

musique. J'ai une idée!

Puis elle se dirige vers un placard, en sort une grande boîte en carton et annonce :

— Je voulais garder cela pour plus tard, mais je crois que ce serait amusant de les utiliser maintenant...

— Tout cela est dû à ma magie du lundi! chuchote Lina à Rachel et Karine.

La boîte est pleine de boas en plumes, de cannes luisantes et de chapeaux hauts-de-forme brillants. Les danseuses ont beaucoup de plaisir à découvrir les accessoires en les sortant de la boîte. Rachel et Karine échangent un sourire en voyant à quel point Céline est heureuse de trouver un chapeau de la même couleur que ses nouveaux souliers de

claquettes. Elle choisit aussi un boa violet duveteux et une canne noire brillante.

— Maintenant, mesdemoiselles, déclare Mme Henri en mettant un morceau de musique pour claquettes. Essayons ces nouveaux pas. Suivez-moi!

Rachel, Karine et Lina observent Mme Henri qui se met à danser la claquette dans la salle en faisant tournoyer sa canne. Les élèves font de même et éclatent de rire en essayant de la suivre. Mais cette fois, même si les pas sont plus compliqués, elles s'en tirent beaucoup mieux.

— Tout le monde s'amuse! déclare Rachel, contente de voir un sourire sur le visage de Céline.

— Oui, je suis si heureuse! réplique Lina en souriant. Merci,

les filles.

Elle lève sa baguette, l'agite dans la direction de Rachel et Karine et ajoute :

— Maintenant, j'ai beaucoup de travail pour rendre ce lundi amusant.

— Au revoir, Lina! dit Rachel.

— Nous allons continuer à chercher les autres drapeaux des jours de la semaine! promet Karine.

La petite fée leur envoie un baiser et s'éloigne à toute vitesse. Rachel et Karine regardent une dernière fois les visages radieux dans la salle de danse. Elles s'adressent un sourire, puis reprennent le chemin de la maison.

L'ARC-EN-CIEL magique

LES FÉES DES JOURS DE LA SEMAINE

Lina, la fée du lundi, a récupéré son drapeau. Maintenant, Rachel et Karine doivent aider

Mia, la fée du mardi!

Une journée étincelante

— Allez, Rachel! Tu peux y arriver!

Karine Taillon crie des encouragements à son amie qui traverse en courant le pré ensoleillé. C'est aujourd'hui le tournoi scolaire régional de l'école de Combourg. Les trois écoles locales sont réunies pour s'affronter dans toutes sortes de jeux et de sports. Karine, qui passe les vacances scolaires à Combourg avec sa meilleure amie, Rachel Vallée, a pu venir voir le tournoi. Le 100 mètres est la dernière épreuve de la matinée et Rachel s'en tire très bien.

— Allez Rachel, ne lâche pas! crie Karine.

Les deux participantes sont si proches qu'il est impossible de savoir qui va gagner. Au tout dernier moment, Karine dépasse l'autre fillette et franchit la première la ligne d'arrivée.

— Youpi! Rachel a gagné! s'écrie Karine en bondissant de joie.

Elle se précipite vers d'autres enfants qui ont regardé la course, mais ils ont tous l'air triste. *Ils devaient vraiment vouloir que ce soit l'autre fille qui gagne,* pense Karine.

Rachel arrive quelques instants plus tard en souriant. Son visage est tout rouge.

— Ouf, c'était une course serrée, souffle-t-elle.

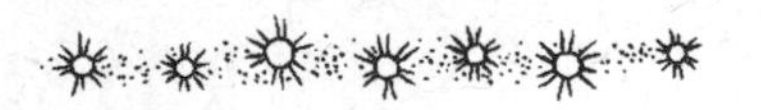

Karine lui retourne son sourire et s'exclame :

— Quelle course excitante!

— Je suis d'accord, répond Rachel, mais as-tu remarqué que tous les autres semblent trouver le temps vraiment long?

Karine regarde autour d'elle. C'est vrai. Une fillette à côté des deux amies frotte l'herbe avec ses pieds et se plaint à son père qu'elle a froid.

Un des garçons plus âgés déclare qu'il a faim. Même certains enseignants semblent s'ennuyer.

Une pensée fulgurante frappe les deux fillettes au même moment.

— Ce doit être parce que le drapeau du mardi a disparu, dit Karine à voix basse.

— C'est exactement ce que j'allais dire, approuve Rachel. Cela explique pourquoi personne ne s'amuse aujourd'hui!

LE ROYAUME DES FÉES N'EST JAMAIS TRÈS LOIN!

Dans la même collection

Déjà parus :

LES FÉES DES PIERRES PRÉCIEUSES

India, la fée des pierres de lune
Scarlett, la fée des rubis
Émilie, la fée des émeraudes
Chloé, la fée des topazes
Annie, la fée des améthystes
Sophie, la fée des saphirs
Lucie, la fée des diamants

LES FÉES DES ANIMAUX

Kim, la fée des chatons
Bella, la fée des lapins
Gabi, la fée des cochons d'Inde
Laura, la fée des chiots
Hélène, la fée des hamsters
Millie, la fée des poissons rouges
Patricia, la fée des poneys

LES FÉES DES JOURS DE LA SEMAINE

Lina, la fée du lundi

À venir :

Mia, la fée du mardi